できたよ ★ シート

べんきょうが おわった ページの ばんごうに
「できたよシール」を はろう!

なまえ

JN029681

スタート　がんばるぞ!

1　2　3　4

9　8　7　6　5

その ちょうし!

10　11　12　13　14

もうすぐ
はんぶん!

19　18　17　16　15

＼さんすうパズル／
20　21　22　23　24　25

31　30　29　28　27　26

32　33　34　35　36　37

ゴール

＼まとめテスト／
40　＼さんすうパズル／
39　38

1年ずけい・すう・たんい

やりきれるから自信がつく！

✓ 1日1枚の勉強で，学習習慣が定着！

◎ 目標時間に合わせ，無理のない量の問題数で構成されているので，
「1日1枚」やりきることができます。

◎ 解説が丁寧なので，まだ学校で習っていない内容でも勉強を進めることができます。

✓ すべての学習の土台となる「基礎力」が身につく！

◎ スモールステップで構成され，1冊の中でも繰り返し練習していくので，
確実に「基礎力」を身につけることができます。「基礎」が身につくことで，発
展的な内容に進むことができるのです。

◎ 教科書に沿っているので，授業の進度に合わせて使うこともできます。

✓ 勉強管理アプリの活用で，楽しく勉強できる！

◎ 設定した勉強時間にアラームが鳴るので，学習習慣がしっかりと身につきます。

◎ 時間や点数などを登録していくと，成績がグラフ化されたり，
賞状をもらえたりするので，達成感を得られます。

◎ 勉強をがんばると，キャラクターとコミュニケーションを
取ることができるので，日々のモチベーションが上がります。

❶ 1日1枚, 集中して解きましょう。

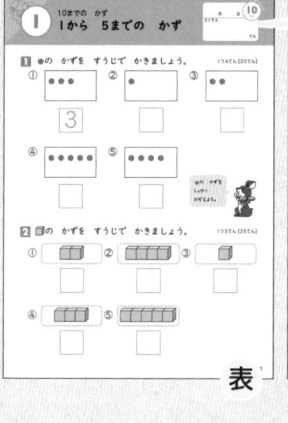
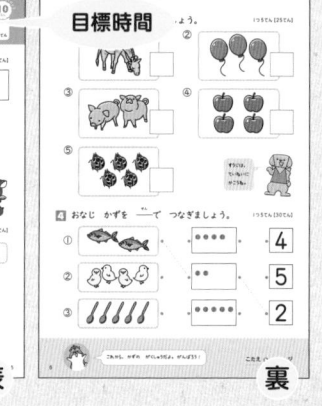

表　　裏

◎1回分は, 1枚 (表と裏) です。
1枚ずつはがして使うこともできます。

◎目標時間を意識して解きましょう。
アプリのストップウォッチなどで, かかった時間を計るとよいでしょう。

・巻末の「まとめテスト」で, この本の内容が身についたかを確認できます。

❷ おうちの方に, 答え合わせをしてもらいましょう。

・本の最後に, 「こたえとアドバイス」があります。

・答え合わせをして, 点数をつけてもらいましょう。

できなかった問題を解き直すと, より力がつくよ!

❸ 「できたよシート」に, 「できたよシール」をはりましょう。

・勉強した回の番号に, 好きなシールをはりましょう。

❹ アプリに得点を登録しましょう。

・アプリに得点を登録すると, 成績がグラフ化されます。
・勉強すると, キャラクターが育ちます。

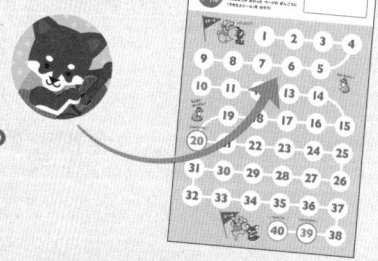
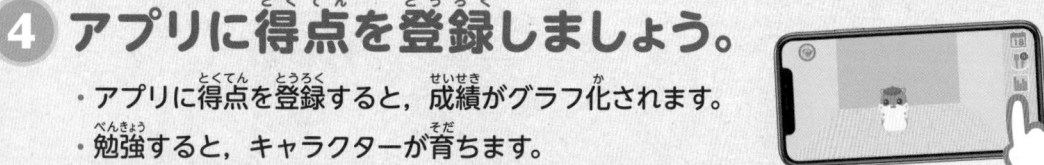

♪ 毎日のドリル ♪
勉強管理アプリ

「毎日のドリル」シリーズ専用、スマートフォン・タブレットで使える無料アプリです。
1つのアプリで、シリーズすべてを管理でき、学習習慣が楽しく身につきます。

1
「毎日のドリル」の学習を徹底サポート！

毎日の目標時間を意識しよう！

毎日の勉強タイムをお知らせする
［タイマー］

かかった時間を計る
［ストップウォッチ］

勉強した日を記録する
［カレンダー］

入力した得点を
［グラフ化］

2
キャラクターと楽しく学べる！

好きなキャラクターを選ぶことができます。勉強をがんばるとキャラクターが育ち、「ひみつ」や「ワザ」が増えます。

3
1冊終わると、ごほうびがもらえる！

ドリルが1冊終わるごとに、賞状やメダル、称号がもらえます。

これは やるきが でるっちゅ！

4
漢字と英単語のゲームにチャレンジ！

ゲームで、どこでも手軽に、楽しく勉強できます。漢字は学年別、英単語はレベル別に構成されており、ドリルで勉強した内容の確認にもなります。

自己ベスト更新を目指そう！

漢字のよみがなを当てよう

1 1から　5までの　かず

月　日　10ぷん
とくてん　　てん

1 ●の　かずを　すうじで　かきましょう。

1つ4てん【20てん】

①

3

②

☐

③

☐

④

☐

⑤

☐

●の　かずを
しっかり
かぞえよう。

2 ◻の　かずを　すうじで　かきましょう。

1つ5てん【25てん】

①

☐

②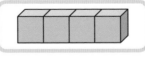

☐

③

☐

④

☐

⑤

☐

5

3 かずを すうじで かきましょう。

1つ5てん【25てん】

①  ☐

②  ☐

③  ☐

④ ☐

⑤ ☐

すうじは、
ていねいに
かこうね。

4 おなじ かずを ───で つなぎましょう。

1つ5てん【30てん】

①  ・  ・

②  ・  ・

③  ・  ・

 これから、かずの がくしゅうだよ。がんばろう！

こたえ ▶ 85ページ

2　6から　10までの　かず

10までの　かず

月　　日

10ぷん

とくてん

てん

1 ●の　かずを　すうじで　かきましょう。

1つ5てん【25てん】

①

7

②

③

④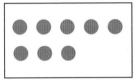

⑤

2 ◻の　かずを　すうじで　かきましょう。

1つ5てん【20てん】

①

②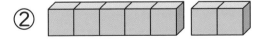

③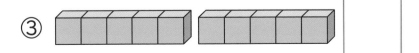

④

すうじは、
かきじゅんにも
きを　つけてね。

7

3 かずを　すうじで　かきましょう。

1つ5てん【25てん】

① [　]

②  [　]

③ [　]

④  [　]

⑤ [　]

4 おなじ　かずを　———で　つなぎましょう。

1つ5てん【30てん】

①  ・　　　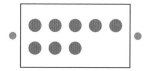 ・　　・

②  ・　　　 ・　　・

③  ・　　　 ・　　・

 10までの　かずが　かぞえられたね。えらい！

こたえ ▶ 85ページ

3 10までの かず
いくつかな

1 えと おなじ かずだけ ◯に いろを ぬりましょう。

1つ6てん【30てん】

①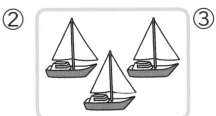

②

③

④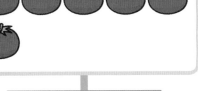

⑤

2 すうじの かずだけ いろを ぬりましょう。

1つ5てん【10てん】

① **4**

ひだりから じゅんに かずだけ いろを ぬってね。

② **9**

9

3 おなじ　かずを　——で　つなぎましょう。

1つ6てん【24てん】

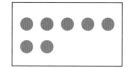   

5　　**7**　　**10**　　**8**

4 かずを　すうじで　かきましょう。

1つ6てん【36てん】

①

②

③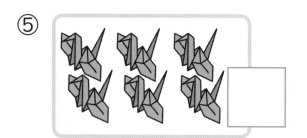

④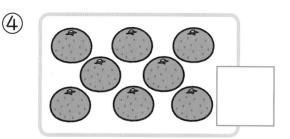

⑤

⑥

 アプリに　とくてんを　とうろくしよう！

こたえ ▶ 85ページ

どちらが おおきい

1 かぶとむしと ちょうでは，どちらが おおいですか。
おおい ほうの □ に ○を かきましょう。　　　【8てん】

2 どちらが おおいですか。おおい ほうの □ に ○を
かきましょう。

1つ7てん【28てん】

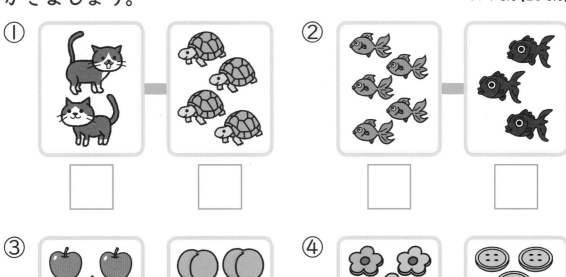

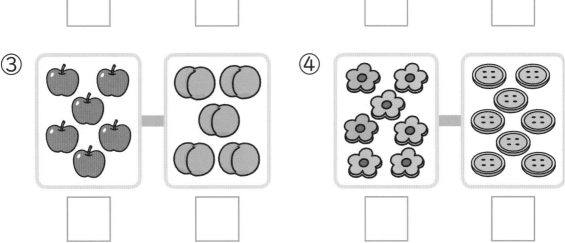

3 どちらの　かずが　おおきいですか。おおきい　ほうの
□に　○を　かきましょう。

1つ8てん【16てん】

①

②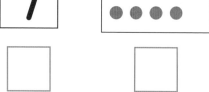

かずの　おおい　ほうを,
おおきいと　いうよ。

4 かずの　おおきい　ほうを　○で　かこみましょう。　1つ8てん【48てん】

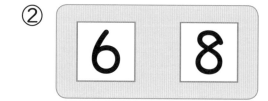

① 5　4　　　② 6　8

③ 4　7　　　④ 9　6

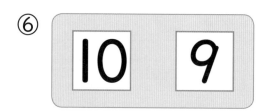

⑤ 7　9　　　⑥ 10　9

おおきさくらべが　できたね。すごい！

こたえ ▶ 86ページ

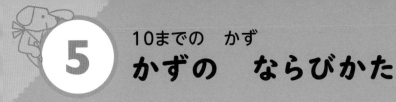

10までの かず
かずの ならびかた

月 日

とくてん

てん

1 ちいさい ほうから じゅんに かずが ならぶように,
あいて いる □ に すうじを かきましょう。　1つ2てん【20てん】

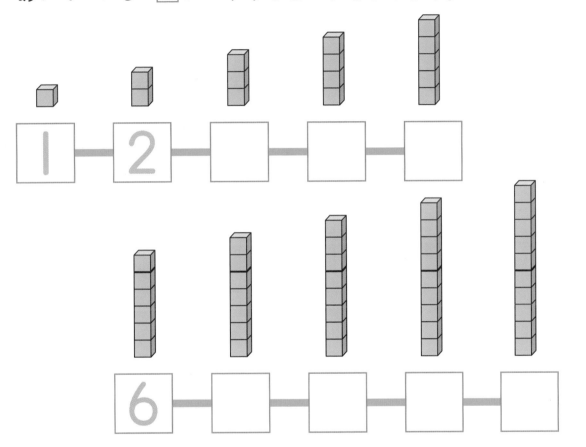

| 1 | 2 | □ | □ | □ |

| 6 | □ | □ | □ | □ |

2 1から 10まで じゅんに かずが ならぶように, □に
すうじを かきましょう。

1つ3てん【30てん】

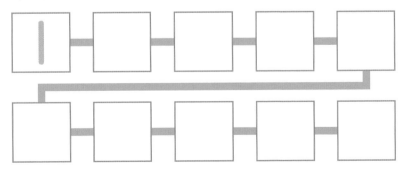

「いち, に, さん, …」と
いいながら かこう。

3 10から 1まで じゅんに かずが ならぶように，
あいて いる □に すうじを かきましょう。 1つ3てん【30てん】

「じゅう，きゅう，
はち，…」と
じゅんに
いって みよう。

10 ― □ ― □ ― □ ― □

□ ― □ ― □ ― □ ― □

4 じゅんに かずが ならぶように，あいて いる □に
すうじを かきましょう。 □1つ4てん【20てん】

① 4 ― □ ― 6 ② 8 ― □ ― 10

③ 8 ― 7 ― □ ― 5 ― □ ― □

かずの ならびかたも ばっちりだね。

こたえ ▶ 86ページ

0と いう かず

1 はいった たまの かずを すうじで かきましょう。

1つ3てん【9てん】

①

②

③

3		0

ひとつも ない ことを 「れい」と いい,
すうじで 「0」と かきます。

2 れい0と いう かずを すうじで かきましょう。　【3てん】

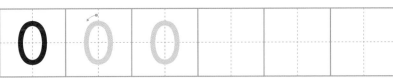

3 かずを すうじで かきましょう。

1つ4てん【24てん】

① いちごの かず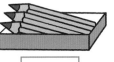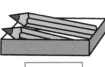

② えんぴつの かず

15

4 かずを すうじで かきましょう。

1つ4てん【24てん】

① りんごの
かず

② とまとの
かず

5 ●の かずを すうじで かきましょう。

1つ5てん【40てん】

①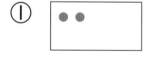

②

 はい, よく できました。すばらしい！

こたえ ▶ 86ページ

なんばんめ
なんばんめかな

1 したの　えを　みて，□に　あう　かずを　かきましょう。

1つ10てん【30てん】

まえ　ねずみ　ねこ　いぬ　さる　きつね　ぶた　くま　ぞう　うしろ

① いぬは　まえから　3　ばんめです。

② きつねは　うしろから　□　ばんめです。

③ きつねは　まえから　□　ばんめです。

2 みぎの　えを　みて　こたえましょう。

1つ10てん【20てん】

① からすは　うえから　なんばんめ
ですか。

□ ばんめ

② したから　2ばんめの　とりは
なんですか。

うえ

はと

からす

すずめ

ふくろう

した

3 どうぶつが ならんで います。つぎの どうぶつを、
〇で かこみましょう。

1つ10てん【20てん】

① まえから 3びき

「まえから 3びき」と
「まえから 3びきめ」
は ちがうね。

② まえから 3びきめ

4 いろを ぬりましょう。

1つ10てん【30てん】

① ひだりから 2ほん

② ひだりから 2ほんめ

③ うしろから 4だいめ

 なんばんめも わかったね。すごいよ！

こたえ ▶ 86ページ

18

ばしょを あらわそう

1 したの えを みて，□に あう かずを かきましょう。

1つ20てん【40てん】

まえ

ひだり

みぎ

うしろ

① いぬ は まえから **2** ばんめで，

ひだりから □ ばんめです。

2つの かずを
つかうと，ばしょが
どこか わかるね。

② さる は うしろから □ ばんめで，

みぎから □ ばんめです。

2 したの えを みて こたえましょう。

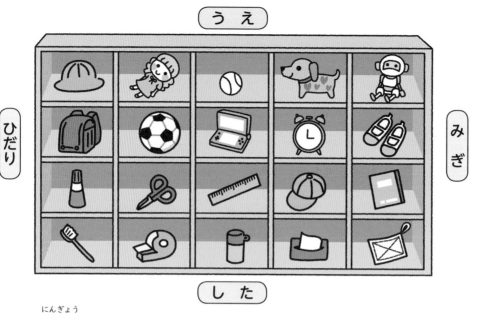

① は どこに ありますか。

うえから ［　　］ ばんめで, ひだりから ［　　］ ばんめ

② は どこに ありますか。

したから ［　　］ ばんめで, みぎから ［　　］ ばんめ

③ うえから 3ばんめで, みぎから 2ばんめに ある
ものは したの どれですか。○で かこみましょう。

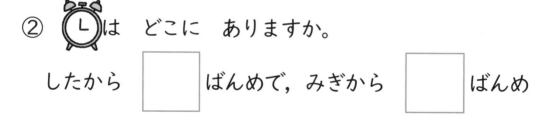

 はい, よく できました。さすが！

こたえ ▶ 87ページ

9 いくつと いくつ
5，6は いくつと いくつ

1 5は いくつと いくつですか。□に かずを かきましょう。

1つ5てん【20てん】

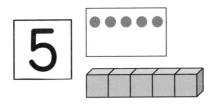

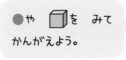

●や □を みて かんがえよう。

① 5は 1と

② 5は 2と 　　

③ 5は 3と 　　

④ 5は 4と 　　

2 6は いくつと いくつですか。□に かずを かきましょう。

1つ5てん【25てん】

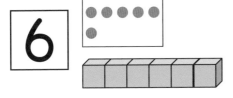

① 6は 1と

② 6は 2と 　　

③ 6は 3と 　　

④ 6は 4と 　　

⑤ 6は 5と

3 うえと　したの　2まいの　かあどで　6に　なるように，
・と　・を　――で　つなぎましょう。

1つ6てん【24てん】

| 2 | 3 | 1 | 4 |

| 3 | 4 | 2 | 5 |

4 □に　あう　かずを　かきましょう。

①〜④1つ6てん，⑤7てん【31てん】

①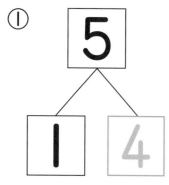

5は　1と　4
だね。

②
```
    5
   / \
  □   3
```

③
```
    6
   / \
  5   □
```

④
```
    6
   / \
  2   □
```

⑤
```
    □
   / \
  3   3
```

かずを　じょうずに　わけられたね。すごい！

こたえ ▶ 87ページ

1 7は いくつと いくつですか。□に かずを かきましょう。
1つ4てん【24てん】

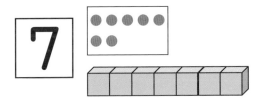

① 7は 1と 6　② 7は 2と

③ 7は 3と 　④ 7は 4と

⑤ 7は 5と 　⑥ 7は 6と

2 うえと したの 2まいの かあどで 7に なるように、
・と ・を ——で つなぎましょう。
1つ4てん【16てん】

 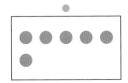  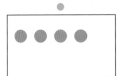

23

3 うえと　したの　2まいの　かあどで　7に　なるように，
・と　・を　——で　つなぎましょう。

1つ5てん【25てん】

| 1 | 4 | 2 | 6 | 3 |

| 3 | 6 | 5 | 4 | 1 |

4 □に　あう　かずを　かきましょう。

①5てん，②〜⑥1つ6てん【35てん】

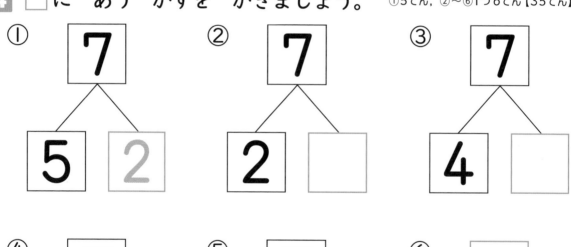

① 7 → 5, 2

② 7 → 2, □

③ 7 → 4, □

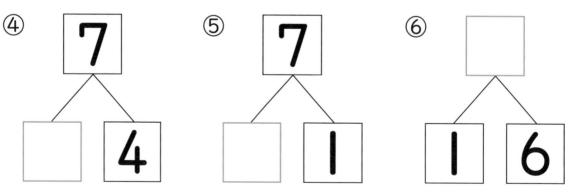

④ 7 → □, 4

⑤ 7 → □, 1

⑥ □ → 1, 6

すごい！　7が　じょうずに　わけられたね。

こたえ ▶ 87ページ

1 8は いくつと いくつですか。□に かずを かきましょう。

1つ4てん【28てん】

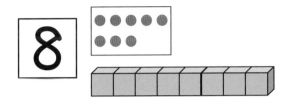

8の わけかたは 7とおり あるよ。

① 8は 1と 7

② 8は 2と

③ 8は 3と

④ 8は 4と

⑤ 8は 5と

⑥ 8は 6と

⑦ 8は 7と

2 うえと したの 2まいの かあどで 8に なるように，
・と ・を ──で つなぎましょう。

1つ4てん【20てん】

5	4	1	6	3

4	3	2	7	5

25

3 □に あう かずを かきましょう。　①4てん, ②〜⑨1つ5てん【44てん】

① 8 → 5, 3

② 8 → 7, □

③ 8 → 2, □

④ 8 → 4, □

⑤ 8 → 6, □

⑥ 8 → 3, □

⑦ 8 → □, 7

⑧ 8 → □, 3

⑨ □ → 4, 4

4 おはじきが 8こ あります。かくした おはじきの

かずを □に かきましょう。　1つ4てん【8てん】

① 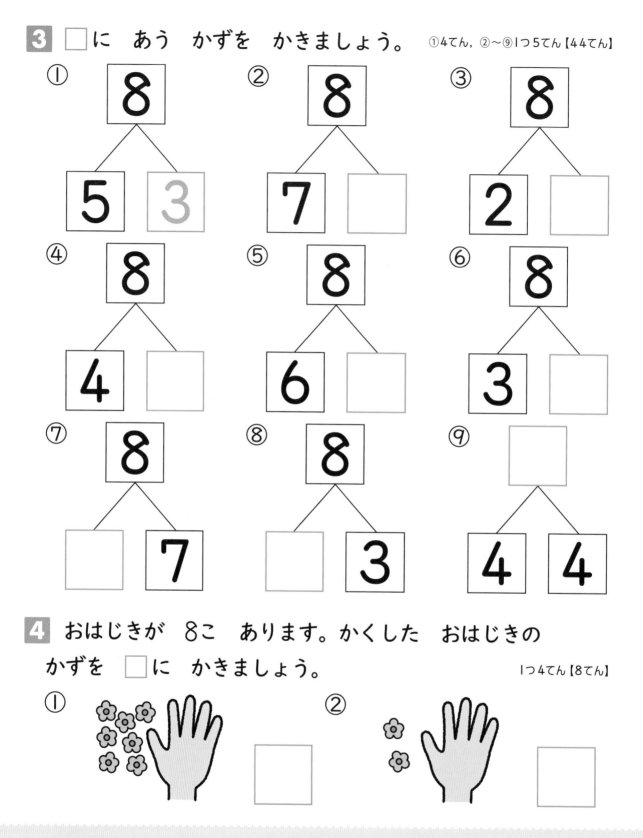 □

② □

9は いくつと いくつ

月　日　10ぷん

とくてん

てん

1 9は いくつと いくつですか。□に かずを かきましょう。

1つ3てん【24てん】

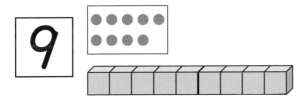

9の あけかたは
8とおり あるね。

① 9は 1と ⌷8⌷　　② 9は 2と ☐

③ 9は 3と ☐　　④ 9は 4と ☐

⑤ 9は 5と ☐　　⑥ 9は 6と ☐

⑦ 9は 7と ☐　　⑧ 9は 8と ☐

2 うえと したの 2まいの かあどで 9に なるように，
・と ・を ——せんで つなぎましょう。

1つ4てん【20てん】

4	1	7	5	6
8	2	5	3	4

27

3 □に あう かずを かきましょう。 ①〜⑧1つ5てん，⑨6てん【46てん】

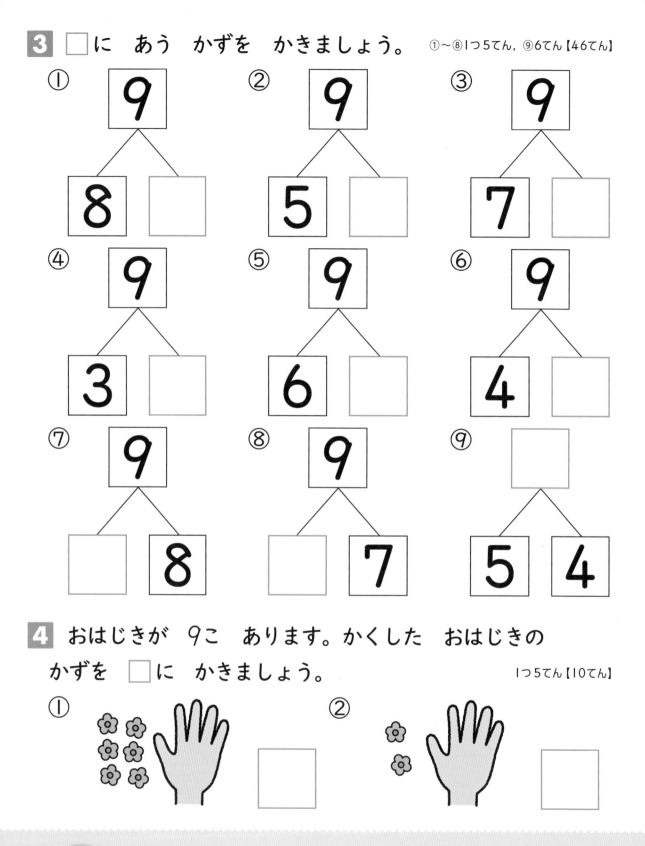

① 9 / 8 □
② 9 / 5 □
③ 9 / 7 □
④ 9 / 3 □
⑤ 9 / 6 □
⑥ 9 / 4 □
⑦ 9 / □ 8
⑧ 9 / □ 7
⑨ □ / 5 4

4 おはじきが 9こ あります。かくした おはじきの
かずを □に かきましょう。

1つ5てん【10てん】

① ②

いくつと いくつ
10は いくつと いくつ

1 10は いくつと いくつですか。
□に かずを かきましょう。

1つ5てん【45てん】

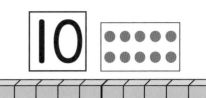

① 10は 1と 9

② 10は 2と

③ 10は 3と

④ 10は 4と

⑤ 10は 5と

⑥ 10は 6と

⑦ 10は 7と

⑧ 10は 8と

⑨ 10は 9と

29

2 □に あう かずを かきましょう。

1つ5てん【40てん】

①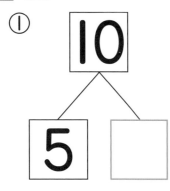

10 だね。

②

③ 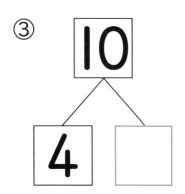　④ 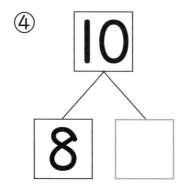　⑤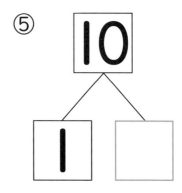

⑥ 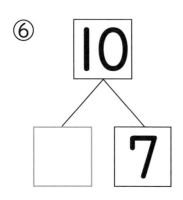　⑦ 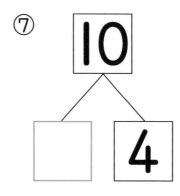　⑧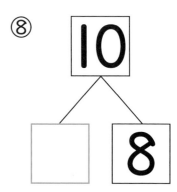

3 あと いくつで 10に なりますか。

□に かずを かきましょう。

1つ5てん【15てん】

① 　② 　③

よく がんばったね。えらいよ。

こたえ ▶ 88ページ

かずしらべ

1 どうぶつかあどを　どうぶつごとに　したのように
ならべました。

1つ10てん【40てん】

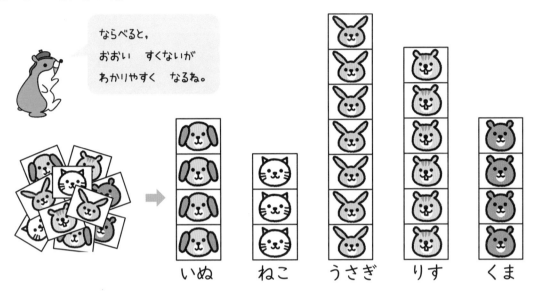

ならべると，
おおい　すくないが
わかりやすく　なるね。

いぬ　　ねこ　　うさぎ　　りす　　くま

① りすの　かあどは　なんまい　ありますか。

□ まい

② いちばん　おおいのは，なんの　かあどですか。

□ の　かあど

③ いちばん　すくないのは，なんの　かあどですか。

□ の　かあど

④ いぬの　かあどと　かずが　おなじなのは，なんの
かあどですか。

□ の　かあど

2 したの いろいろな くだものの かずを しらべます。

1つ10てん【60てん】

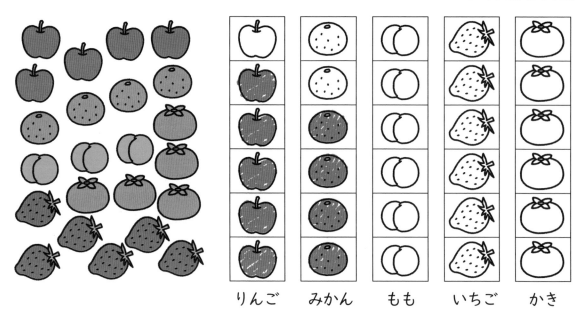

① りんごと みかんの かずだけ, うえの えに いろを
ぬりました。おなじように, もも, いちご, かきの
かずだけ えに したから いろを ぬりましょう。

② いちばん おおい くだものは なんですか。

③ いちごは, ももより なんこ おおいですか。 [   ] こ

④ かずが おなじ くだものは, なにと なにですか。

[   ] と [   ]

かずの しらべかたが あかったね。すばらしい！

こたえ ▶ 89ページ

20までの かず

月　日　10ぷん
とくてん
てん

1 ▢の かずを すうじで かきましょう。 1つ6てん【48てん】

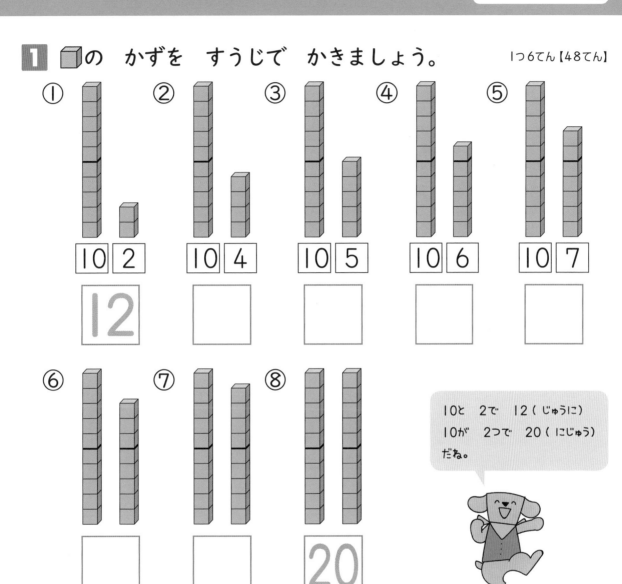

① 10 2　　② 10 4　　③ 10 5　　④ 10 6　　⑤ 10 7

12

⑥　　⑦　　⑧ 20

10と 2で 12 (じゅうに)
10が 2つで 20 (にじゅう)
だね。

2 かずを すうじで かきましょう。 1つ6てん【12てん】

①

②

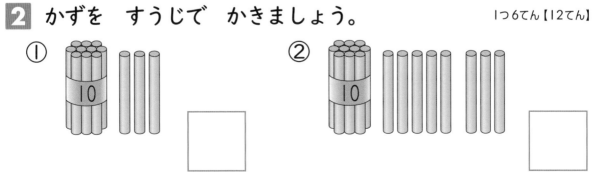

3 かずを　すうじで　かきましょう。

1つ7てん【28てん】

①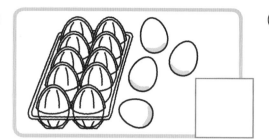

②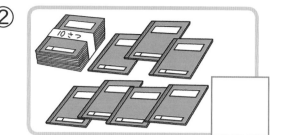

③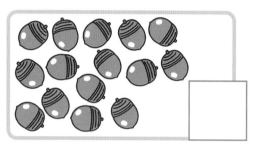

④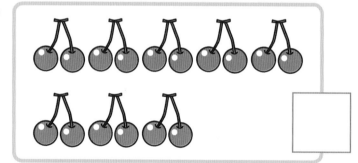

4 2とびや　5とびの　かぞえかたで　かぞえて，かずを
□に　かきましょう。

1つ6てん【12てん】

①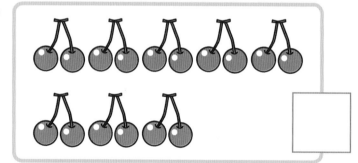

2こずつ
「2，4，6，8，…」と
かぞえるよ。

②

5こずつ，
「5，10，15，…」と
かぞえるよ。

20までの　かずも　わかったね。すごい！

こたえ ▶ 89ページ

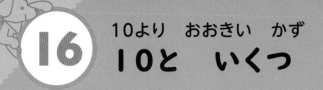
1 □に かずを かきましょう。　1つ3てん【15てん】

① 10と 5で 15

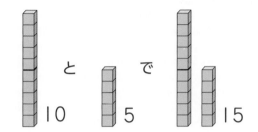

と　で
10　5　15

② 10と 7で □　③ 10と 2で □

④ 10と 8で □　⑤ 10と 10で □

2 □に かずを かきましょう。　1つ3てん【15てん】

① 19は 10と □

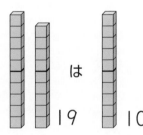

は　と
19　10　9

② 16は 10と □　③ 11は 10と □

④ 13は □ と 3　⑤ 18は □ と 8

3 □に かずを かきましょう。

1つ4てん【32てん】

① 10と 2で □

② 10と 4で □

③ 10と 8で □

④ 10と 1で □

⑤ 10と 3で □

⑥ 10と 9で □

⑦ 10と 6で □

⑧ 10と 5で □

4 □に かずを かきましょう。

①，②1つ4てん，③〜⑧1つ5てん【38てん】

① 14は 10と □

② 17は 10と □

20までの かずは、
「10と いくつ」で
かんがえよう。

③ 12は 10と □

④ 18は 10と □

⑤ 19は 10と □

⑥ 16は □と 6

⑦ 15は □と 5

⑧ 20は 10と □

はい！ よく できました。この ちょうしだよ。

こたえ ▶ 89ページ

1 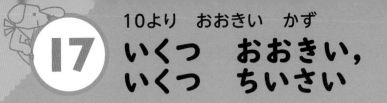 うさぎは どこまで すすみましたか。かずのせんの すうじを □に かきましょう。　　　【10てん】

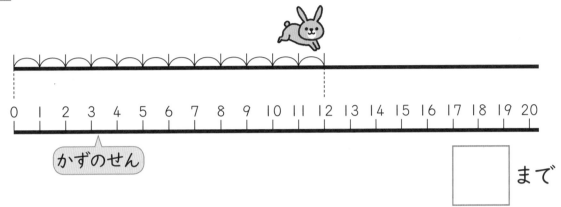

0 1 2 3 4 5 6 7 8 9 10 11 12 13 14 15 16 17 18 19 20

かずのせん

□ まで

2 かずのせんを みて，つぎの かずを □に かきましょう。
1つ9てん【27てん】

① 11より 2 おおきい かず …… **13**

0 1 2 3 4 5 6 7 8 9 10 11 12 13 14 15 16 17 18 19 20

② 14より 3 おおきい かず …… □

0 1 2 3 4 5 6 7 8 9 10 11 12 13 14 15 16 17 18 19 20

③ 15より 2 ちいさい かず …… □

0 1 2 3 4 5 6 7 8 9 10 11 12 13 14 15 16 17 18 19 20

3 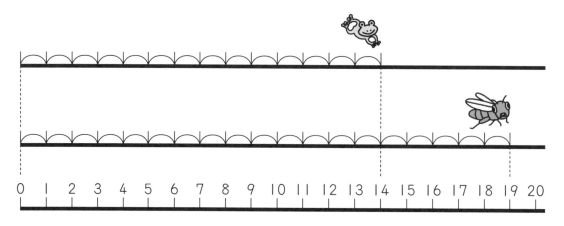と は どこまで すすみましたか。かずのせんの
すうじを □ に かきましょう。

1つ9てん【18てん】

0 1 2 3 4 5 6 7 8 9 10 11 12 13 14 15 16 17 18 19 20

…… □ まで　　 …… □ まで

4 つぎの かずを □ に かきましょう。

1つ9てん【45てん】

① 10より 2 おおきい かず …… □

② 13より 2 おおきい かず …… □

③ 16より 3 おおきい かず …… □

④ 14より 2 ちいさい かず …… □

⑤ 18より 3 ちいさい かず …… □

かずのせんを
みて
かんがえて。

よく がんばったね。すごいよ！

こたえ ▶ 90ページ

10より おおきい かず
かずの ならびかた

月　日　10ぷん
とくてん
てん

1 0から 20まで, じゅんに かずが ならぶように,
あいて いる ◯に すうじを かきましょう。　1つ3てん【24てん】

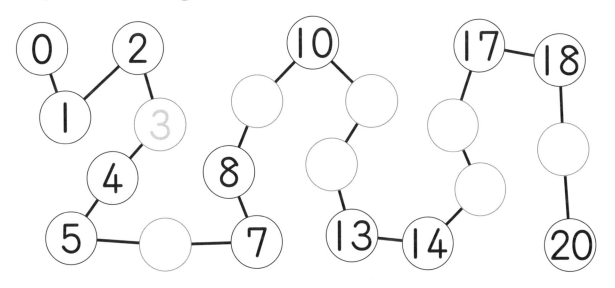

2 じゅんに かずが ならぶように, あいて いる □に
すうじを かきましょう。　□1つ4てん【16てん】

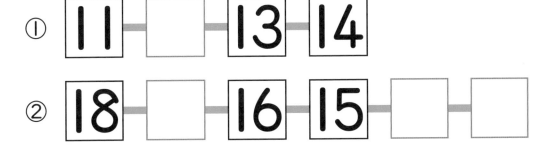

① 11 □ 13 14

② 18 □ 16 15 □ □

3 かずのせんの □に あう かずを かきましょう。
1つ4てん【16てん】

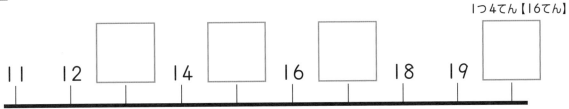

11　12　□　14　□　16　□　18　19　□

4 じゅんに かずが ならぶように, あいて いる □ に
すうじを かきましょう。

□1つ4てん【24てん】

① 16 — 17 — □ — □ — 20

② 16 — 15 — □ — 13 — □

いくつずつ
おおきく (ちいさく)
なって いるかな。

③ 10 — 12 — □ — □ — 18

5 かずのせんの □ に あう かずを かきましょう。

1つ4てん【12てん】

9　10　□　12　13　14　15　□　17　□

6 したの えを みて, □ に あう かずを かきましょう。

1つ4てん【8てん】

ひだり 🌸🌸🌸🌸🌸🌸🌸🌸🌸🌸🌸🌸🌸🌸🌸🌸 みぎ

① 🌸 は ひだりから □ ばんめです。

② 🌸 は みぎから □ ばんめです。

かずの ならびかたも ばっちりだね。

こたえ ▶ 90ページ

10より おおきい かず

どちらが おおきい

1 どちらが おおいですか。おおい ほうの □ に ○を
かきましょう。

1つ10てん【20てん】

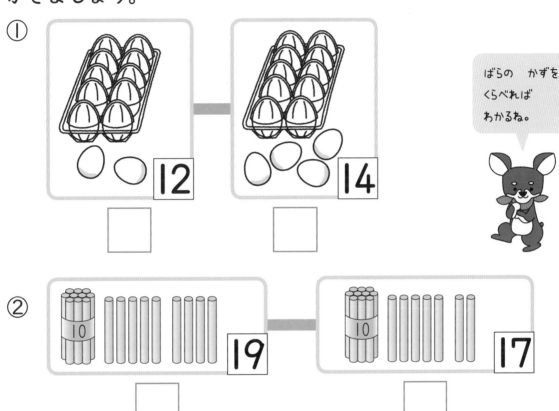

① 12 □　14 □

ばらの かずを
くらべれば
わかるね。

② 19 □　17 □

2 おおきい ほうの すうじを □ に かきましょう。

1つ10てん【20てん】

① 11　9　□

② 16　18　□

3 どちらが　おおいですか。おおい　ほうの　□　に　○を
かきましょう。

1つ10てん【20てん】

①

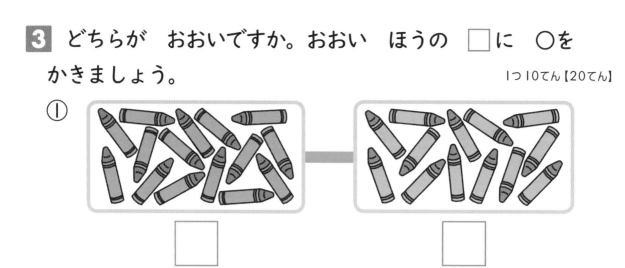

②

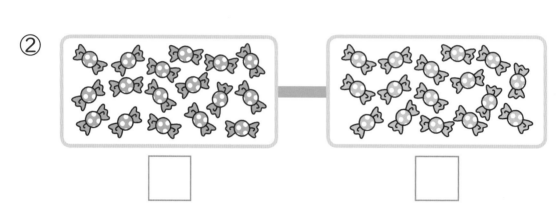

4 おおきい　ほうの　すうじを　○で　かこみましょう。

1つ10てん【40てん】

① 13　11

② 15　16

③ 19　16

④ 19　20

よく　できました。つぎは　パズルだよ！

こたえ ▶ 90ページ

❶ みんな おおさわぎです。なにが いるのかな？
　|から じゅんに 20まで，・と ・を ——で つなぎ ましょう。・と ・も おなじように じゅんに ——で つなぎましょう。

こたえ

43

2 かずの おおきい ほうの みちを とおって, ゴール<ruby>ご<rt>ご</rt></ruby>まで
いきましょう。なんびきの どうぶつに あえるかな？

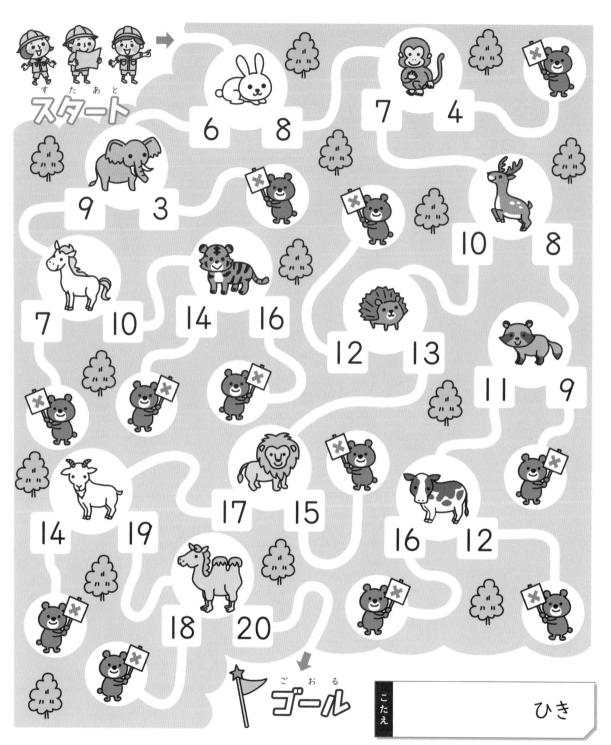

こたえ ▶ 90ページ

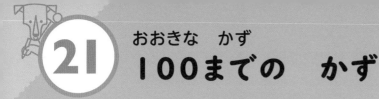

21 おおきな かず
100までの かず

月　日

とくてん

てん

1 かずを すうじで かきましょう。　1つ10てん【30てん】

① 10が 4こで 40。
40と 6で 46。　46

②

なん十と
いくつかな。

③

2 かずを すうじで かきましょう。　1つ10てん【20てん】

①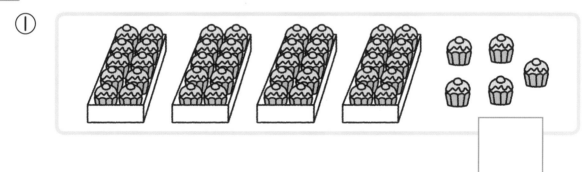

②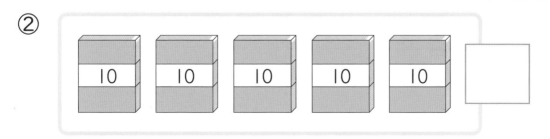

45

3 かずを すうじで かきましょう。

1つ10てん【30てん】

①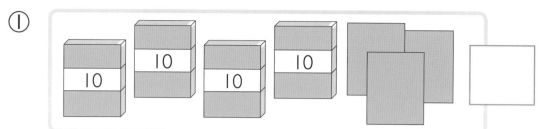

②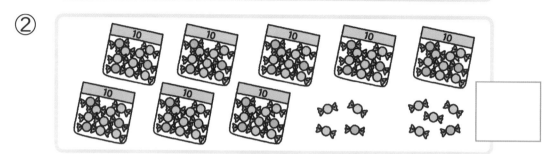

③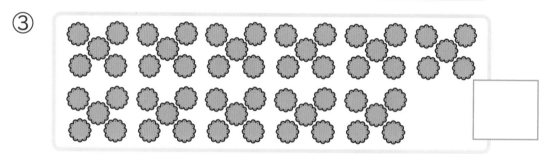

4 10こずつ ○で かこんでから, かずを すうじで
かきましょう。

【20てん】

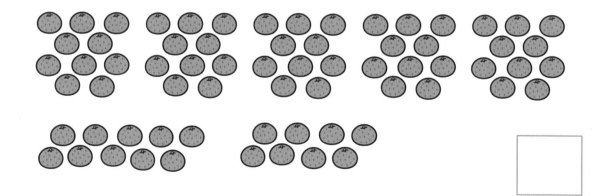

はんぶんまで きたよ。のこりも がんばろう！

こたえ ▶ 91ページ

おおきな かず
十のくらい， 一のくらい

1 36に ついて， □に すうじを かきましょう。 1つ5てん【10てん】

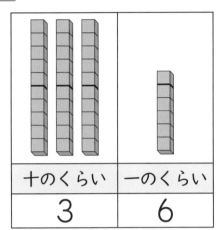

十のくらい	一のくらい
3	6

① 十のくらいの すうじは

② 一のくらいの すうじは

10の まとまりの かずを かく ところが 十のくらい， ばらの かずを かく ところが 一のくらいだね。

2 □に すうじを かきましょう。 □1つ4てん【16てん】

① 65の 十のくらいは ____ で， 一のくらいは

② 47の 十のくらいは ____ で， 一のくらいは

3 □に かずを かきましょう。 1つ6てん【18てん】

① 十のくらいが 5で， 一のくらいが 2の かずは

② 十のくらいが 7で， 一のくらいが 3の かずは

③ 十のくらいが 9で， 一のくらいが 8の かずは

4 □に すうじを かきましょう。 □1つ4てん【32てん】

① 24の 十のくらいは □ で, 一のくらいは □

② 73の 十のくらいは □ で, 一のくらいは □

③ 89の 十のくらいは □ で, 一のくらいは □

④ 90の 十のくらいは □ で, 一のくらいは □

5 □に かずを かきましょう。 1つ6てん【24てん】

① 十のくらいが 4で, 一のくらいが 1の かずは □

② 十のくらいが 8で, 一のくらいが 6の かずは □

③ 十のくらいが 9で, 一のくらいが 5の かずは □

④ 十のくらいが 7で, 一のくらいが 0の かずは □

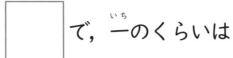

よく がんばったね。この ちょうしだよ。

こたえ ▶ 91ページ

おおきな かず

23 10が なんこ，1が なんこ，100

月　日

とくてん

てん

1 □に かずを かきましょう。

1つ5てん【20てん】

① 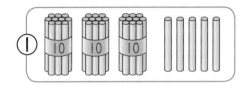　10が 3こと 1が 5こで　35
30　　　5

② 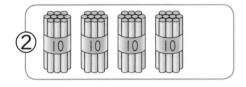　10が 4こで

③ 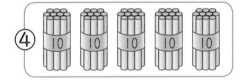　43は 10が こと 1が 3こ
→40と 3

④ 50は 10が □ こ

2 □に かずを かきましょう。

□1つ6てん【30てん】

① 10が 4こと 1が 7こで □

② 10が 7こで □

③ 54は 10が □ こと 1が □ こ

④ 90は 10が □ こ

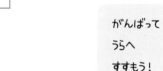
がんばって
うらへ
すすもう！

3 □に かずを かきましょう。 □1つ6てん【36てん】

① 10が 6こと 1が 3こで □

② 10が 8こと 1が 7こで □

③ 10が 3こで □

④ 79は 10が □こと 1が □こ

⑤ 60は 10が □こ

4 100に ついて, □に かずを かきましょう。 1つ7てん【14てん】

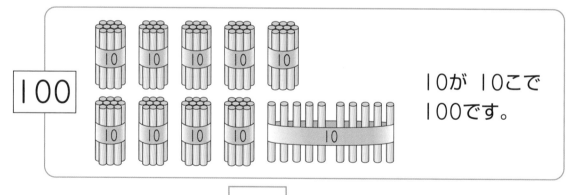

10が 10こで 100です。

① 100は, 99より □ おおきい かずです。

② 100は, 90より □ おおきい かずです。

100までの かずが わかって きたね。

こたえ ▶ 91ページ

おおきな　かず
かずの　ならびかた

1 したの　かずの　ならびかたを　みて　こたえましょう。

1つ4てん【32てん】

0	1	2	3	4		6	7	8	9
10	11	12	13	14		16	17	18	19
20	21	22	23	24		26	27	28	29
30	31	32	33	34		36	37	38	39
40	41	42	43	44		46	47	48	49
50	51	52	53	54		56	57	58	59
60	61	62	63	64		66	67	68	69
70	71	72	73	74	75	76	77	78	79
80	81	82	83	84	85	86	87	88	89
90	91	92	93	94	95	96	97	98	99
100									

① あいて　いる　□に　かずを　かきましょう。

② 十のくらいが　7の　かずの　ところを　○で　かこみましょう。

2 □に かずを かきましょう。

□1つ4てん【44てん】

① 36 — 37 — 38 — 39

はじめに
どんな かずの
ならびかたか
たしかめてね。

② 63 — □ — 65 — 66

③ 77 — □ — 79 — □ — 81 — 82 — □

④ 40 — 50 — □ — 70 — 80 — □ — □

⑤ 94 — □ — 92 — 91 — 90 — □ — □

3 かずのせんを みて，□に かずを かきましょう。

① 1つ4てん【24てん】

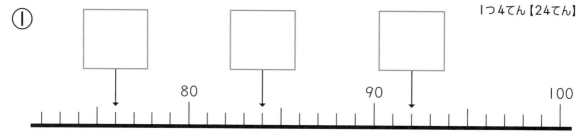

②

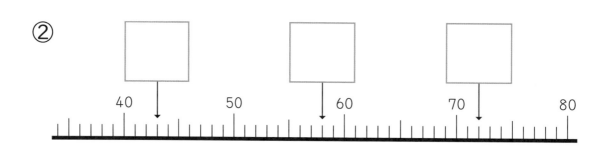

かずの ならびかたも ばっちり わかったね。

こたえ ▶ 91ページ

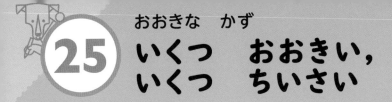

25 いくつ　おおきい，
いくつ　ちいさい

月　　日　　10ぷん

とくてん

てん

1 かずのせんを　みて，□に　かずを　かきましょう。

1つ6てん【18てん】

0　　　10　　　20　　　30　　　40　　　50

① 20より　3　おおきい　かずは　**23**

② 43より　5　おおきい　かずは

③ 30より　3　ちいさい　かずは

30より　3
ちいさい　かずは…
30

2 かずのせんを　みて，□に　かずを　かきましょう。

1つ6てん【18てん】

50　　　60　　　70　　　80　　　90　　　100

① 60より　2　おおきい　かずは

② 90より　4　ちいさい　かずは

③ 69より　1　おおきい　かずは

53

3 かずのせんを みて, □に かずを かきましょう。

1つ7てん【28てん】

```
50        60        70        80        90       100
|iiiiiiiiii|iiiiiiiiii|iiiiiiiiii|iiiiiiiiii|iiiiiiiiii|
```

① 58より 3 おおきい かずは □

② 80より 1 ちいさい かずは □

③ 70より 5 おおきい かずは □

④ 91より 2 ちいさい かずは □

4 □に かずを かきましょう。

1つ9てん【36てん】

① 36より 2 おおきい かずは □

② 40より 6 ちいさい かずは □

③ 49より 1 おおきい かずは □

④ 33より 5 ちいさい かずは □

よく がんばったね。おつかれさま。

こたえ ▶ 92ページ

おおきな　かず

どちらが　おおきい

1 どちらが　おおいですか。おおい　ほうの　□に　○を
かきましょう。

1つ7てん【14てん】

①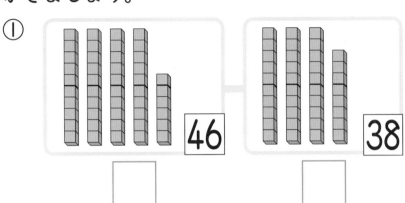

46 □

38 □

10の　まとまりの　かず、
ばらの　かずの
じゅんに　くらべよう。

②
32 □

34 □

2 かずの　おおきい　ほうを　○で　かこみましょう。

1つ7てん【28てん】

① 37 42

② 55 73

③ 60 59

④ 88 81

3 かずの おおきい ほうを ◯で かこみましょう。

1つ7てん【42てん】

① 50　37

はじめに 十のくらいで くらべ，おなじだったら 一のくらいで くらべよう。

② 73　79

③ 46　55　④ 91　83

⑤ 90　100　⑥ 61　64

4 つぎの かずを おおきい じゅんに ならべましょう。

1つ8てん【16てん】

① 60, 80, 90 ➡ (　　　　　　　　)

② 87, 78, 89 ➡ (　　　　　　　　)

かずの おおきさが くらべられたね。すごい！

こたえ ▶ 92ページ

27

100より おおきい かず①

1 かずを すうじで かきましょう。

1つ8てん【24てん】

① 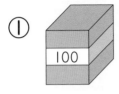 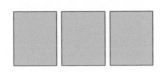 100と 13で
ひゃくじゅうさん
113

$\boxed{113}$

②

$\boxed{}$

③

$\boxed{}$

2 かずと あう すうじを ――で つなぎましょう。

1つ8てん【24てん】

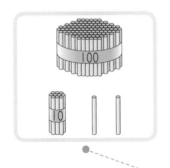  

$\boxed{120}$　　$\boxed{112}$　　$\boxed{102}$

3 100より おおきい かずを ○で かこみましょう。

【12てん】

97　103　89　110　19

4 かずを すうじで かきましょう。

1つ8てん【16てん】

①

②

5 □に かずを かきましょう。

1つ8てん【24てん】

① 100と 7で □

② 100と 10と 9で □

③ 100と 20と 3で □

②は、100と 19 だから…

がんばって いるね。えらいよ！

こたえ ▶ 92ページ

28 100より　おおきい　かず②

月　　日
とくてん
10ぷん
てん

1 あいて　いる　□に　かずを　かきましょう。　1つ5てん【20てん】

90	91	92	93	94	95	96	97	98	99
100		102	103	104		106	107	108	109
110		112	113	114		116	117	118	119
120									

2 かあどの　かずと　あう　かずのせんを　——で　つなぎましょう。　1つ5てん【15てん】

95 (れい)　　104　　111　　116

90　　100　　110　　120

3 かずのせんを　みて，□に　かずを　かきましょう。　1つ5てん【15てん】

90　　100　　110　　120

4 □に かずを かきましょう。

□1つ5てん【30てん】

① | 99 | 100 | 101 | | |

② | 108 | 109 | | 111 | |

③ | 117 | 118 | | 120 | |

5 かずのせんを みて, □に かずを かきましょう。

1つ5てん【10てん】

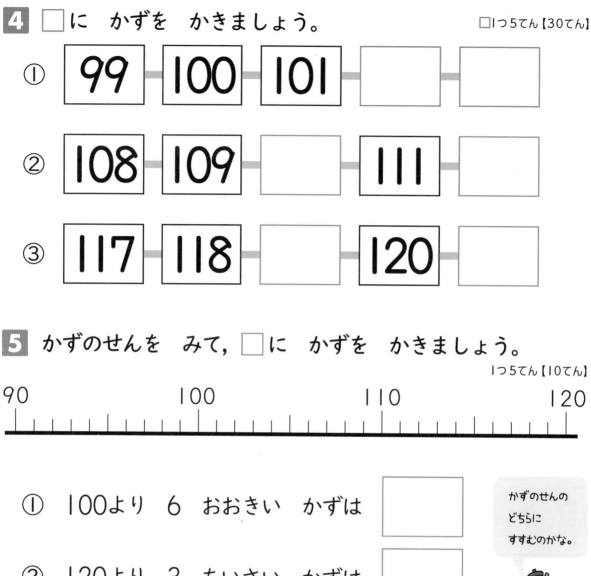

90　　　　　100　　　　　110　　　　　120

① 100より 6 おおきい かずは

② 120より 3 ちいさい かずは

かずのせんの
どちらに
すすむのかな。

6 かずの おおきい ほうを ○で かこみましょう。

1つ5てん【10てん】

① | 105 | 112 |

② | 120 | 116 |

100より おおきな かずも ばっちりだね。

こたえ ▶ 93ページ

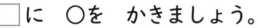

29 おおきさくらべ
ながさくらべ①

月　　日　　⏱**10** ぷん

とくてん

てん

1 あと　いでは，どちらが　ながいですか。ながい　ほうの
□に　〇を　かきましょう。

1つ10てん【30てん】

① あ　い

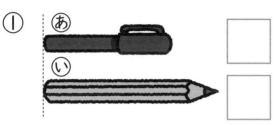

② あ　い

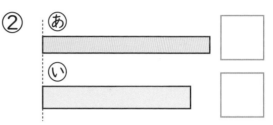

③ あ　い

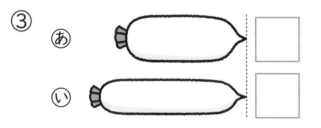

はしを　そろえれば
くらべられるね。

2 かみを　したのように　おりました。たてと　よこでは，
どちらが　ながいですか。

【13てん】

おって　かさねて
くらべます。

3 えほんの　たてと　よこでは，どちらが　ながいですか。

【13てん】

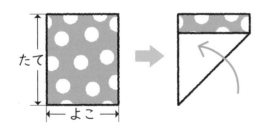

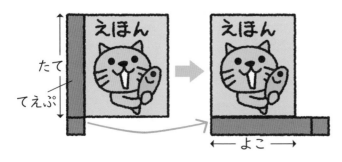

てえぷに　ながさを
うつしとって　くらべます。

61

4 うえと　したの　てえぷでは，どちらが　ながいですか。

ながい　ほうの　□に　〇を　かきましょう。　　1つ12てん【24てん】

①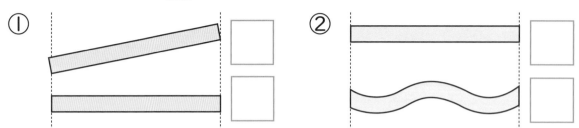

②

5 てえぷに　ながさを　うつしとって，いろいろな　ものの

ながさを　くらべました。あ，い，う，えで　こたえましょう。

1つ10てん【20てん】

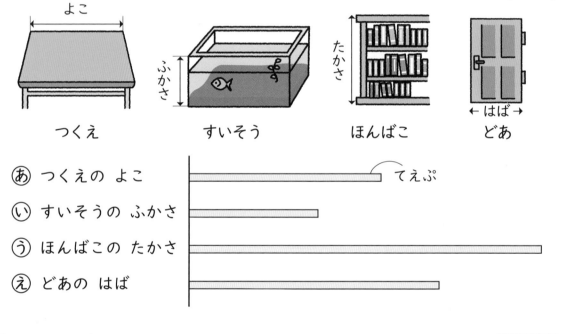

① いちばん　ながいのは　どれですか。

② いちばん　みじかいのは　どれですか。

ながさが　くらべられたね。すばらしい！

こたえ ▶ 93ページ

1 つくえの　たてと　よこの　ながさを，えんぴつで　しらべました。

1つ10てん【30てん】

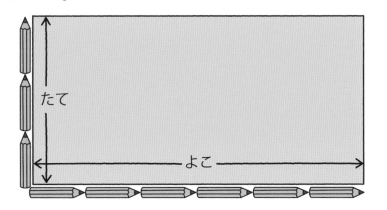

ながさを　えんぴつの　かずで　いえるね。

① たてと　よこは，えんぴつの　なんぼんぶんの　ながさですか。

たて…□　ぼんぶん　　　よこ…□　ぽんぶん

② たてと　よこでは，どちらが　ながいですか。

2 ⓐと　ⓘでは，どちらが　ながいですか。ながい　ほうの　□に　○を　かきましょう。

【15てん】

ⓐ　□

ⓘ　□

3 あと ⓘでは, どちらが ながいですか。ながい ほうの
□に ○を かきましょう。　　　　　　　　　　　【15てん】

ⓐ  □

ⓘ  □

4 したの えを みて こたえましょう。　□1つ10てん【40てん】

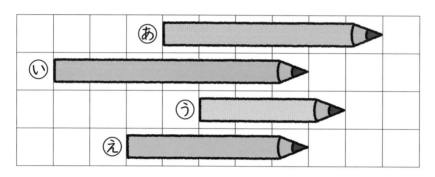

① ⓐは, ますめの いくつぶんの ながさですか。

 つぶん

② いちばん ながい えんぴつは, ⓐ, ⓘ, ⓤ, ⓔの
どれですか。

③ ⓘと ⓤでは, どちらが ますめの いくつぶん ながい
ですか。

□ が ますめの □ つぶん ながい。

 よく がんばったね。すごいよ。

こたえ ▶ 93ページ

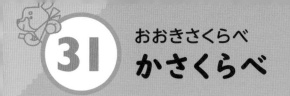

31 おおきさくらべ
かさくらべ

1 あと いに はいる みずは, どちらが おおいか しらべました。おおく はいる ほうの □ に ○を かきましょう。

【10てん】

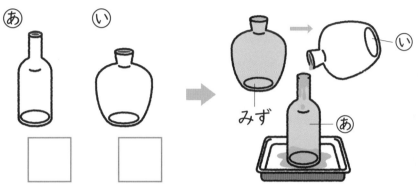

みず

いに いっぱいに
いれた みずを
あに うつして
しらべました。

2 あと いに はいる みずは, どちらが おおいか しらべました。おおく はいる ほうの □ に ○を かきましょう。

【10てん】

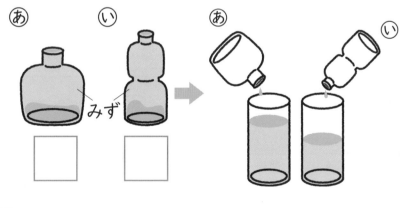

みず

おなじ おおきさの
こっぷに みずを
うつして, たかさを
しらべました。

3 はいって いる みずが おおい ほうを ○で かこみましょう。

1つ10てん【20てん】

① 　　②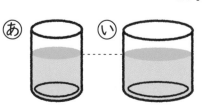

4 あと いに いっぱいに いれた みずを, おなじ おおき
さの こっぷに うつしました。

1つ10てん【30てん】

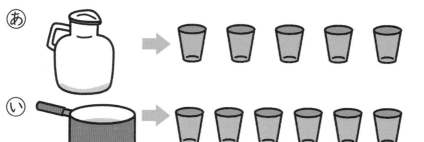

みずの かさを こっぷの
かずで いえるね。

① あ, いに はいる みずは, こっぷの なんばいぶんです
か。

あ…□ はいぶん　　　い…□ ぱいぶん

② みずが おおく はいるのは, あ, いの
どちらですか。　　□

5 あ, い, うに はいって いた みずを, おなじ おおきさ
の こっぷに うつしました。みずが おおく はいって
いた じゅんに, あ, い, うで こたえましょう。1つ10てん【30てん】

□ , □ , □

かさくらべも できたね。さすが！

こたえ ▶ 94ページ

ひろさくらべ

月　日

10ぷん

とくてん

てん

1 あと　いの　どちらの　はんかちが　ひろいですか。ひろい
ほうの　□に　○を　かきましょう。　　　　　　【7てん】

あ　　　　　　　い

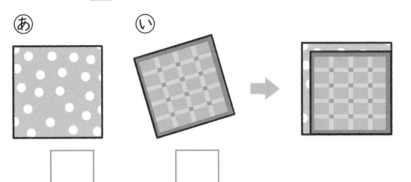

はしを　そろえて
かさねて
くらべました。

□　　　　　　□

2 じゃんけんを　して，かったら
□を　|に　ぬる　げえむを，ゆき
さんと　えいたさんで　しました。
げえむが　おわったら，みぎのよ
うに　なりました。　□1つ8てん【32てん】

ゆきさん　　　　　えいたさん

① ふたりは　それぞれ，□を
なんこ　ぬりましたか。

ゆきさん…□こ　　えいたさん…□こ

② ゆきさんと　えいたさんは，どちらが　□の　なんこぶん
ひろく　ぬりましたか。

□さんが，□の　□こぶん　ひろく　ぬった。

3 ひろい　じゅんに，あ，い，うで　こたえましょう。

1つ7てん【21てん】

あ　　　い　　　う　　　→　かさねる

☐　,　☐　,　☐

4 あ，い，うのように，☐に　いろを　ぬりました。

1つ8てん【40てん】

ひろさを
☐の
かずで
いえるね。

① それぞれ，☐を　なんこ　ぬりましたか。

あ…☐こ　　い…☐こ　　う…☐こ

② いちばん　ひろく　ぬったのは，あ，い，うの　どれですか。

☐

③ いは　うより，☐の　なんこぶん　ひろいですか。

☐こぶん

ひろさの　くらべかたも　わかったね。すごい！

こたえ ▶ 94ページ

とけい
なんじかな

月　　日　　10
ぷん
とくてん

てん

1 なんじですか。

1つ7てん【28てん】

①

みじかい　はりが　2で，
ながい　はりが　12の　とき，
「2じ」と　よみます。

みじかい　はりで
「なんじ」を　よむよ。

2じ

②

③

④

2 3じの　とけいは　どれですか。□に　○を　かきましょう。

【7てん】

あ

い

う

3 なんじですか。

①

②

③

④

⑤

⑥

4 みじかい はりを かきましょう。

① 4じ

② 9じ

③ 11じ

「なんじ」が よめたね。すばらしい！

こたえ ▶ 94ページ

なんじはんかな

月　日　10ぷん
とくてん

てん

1 なんじはんですか。

1つ7てん【28てん】

①

2じはん

みじかい　はりが　2と 3の　あいだで，ながい はりが　6の　とき， 「2じはん」と　よみます。

ちいさい　ほうの　2で なんじを　よむんだね。

②

③

④

2 8じはんの　とけいは　どれですか。□に　○を　かきましょう。

【9てん】

あ

い

う

3 なんじはんですか。

1つ7てん【42てん】

①

②

③

④

⑤

⑥

4 ながい　はりを　かきましょう。

1つ7てん【21てん】

① 6じ

② 4じはん

③ 10じはん

「なんじはん」も　よめたね。ちょうし　いいよ。

こたえ ▶ 95ページ

月　日　10
ぷん
とくてん

てん

1 なんじなんぷんですか。

①, ②1つ5てん, ③〜⑤1つ7てん【31てん】

①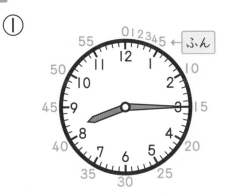

みじかい　はりで　なんじを　よみ，
ながい　はりで　なんぷんを　よみます。

★ちいさい　1めもりは　1ぷんです。

・みじかい　はり…8と　9の　あいだだから，
　　　　　　「8じ○ふん」

・ながい　はり……ちいさい　めもりで　15こめ
　　　　　　だから，「15ふん」

8じ15ふん

②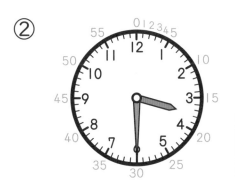

すうじの　ある　めもりは，
5，10，15，20，25，…と，
5とびの　かずに　なって　いるね。

3じ30ぷん

↑「はん」は　「30ぷん」と　おなじです。

③

④

⑤

2 なんじなんぷんですか。── で　つなぎましょう。

| 5:05 | 6:50 | 6:25 |

3 なんじなんぷんですか。

① 　② 　③

④ 　⑤ 　⑥

はい，よく　できました。さすが！

こたえ ▶ 95ページ

36

とけい
なんじなんぷん②

月　　日　　10ぷん
とくてん
てん

1 なんじなんぷんですか。

1つ7てん【42てん】

①

8じ15ふんから　ながい
はりが　3めもり　さきだか
ら，「8じ18ふん」

8じ18ふん

②

5，10，15，…の
すうじの　ある　めもりを
もとに　して　よめば
いいね。

③

④

⑤

⑥

2 7じ58ふんの とけいは どれですか。□に ○を かき
ましょう。

【10てん】

あ

い

う

3 なんじなんぷんですか。

1つ8てん【48てん】

①

②

③

④

⑤

⑥

とけいが よめるように なったね。すごいよ！

こたえ ▶ 95ページ

かたち
いろいろな　かたち

1 うえと　したで，にて　いる　かたちを　——で　つなぎましょう。

1つ7てん【21てん】

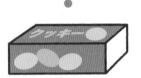 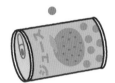

2 ひだりの　つみきと　おなじ　かたちの　なかまを　○で　かこみましょう。

1つ8てん【24てん】

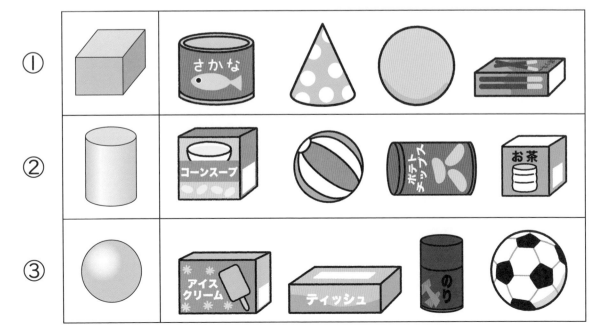

3 つみきの そこの かたちを うつしました。つかった つみきを ──で つなぎましょう。

1つ7てん【28てん】

 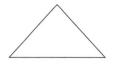

 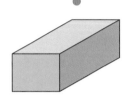  

4 つみきの そこの かたちを うつしました。それぞれ、かけた かたちに いろを ぬりましょう。

1つ9てん【27てん】

①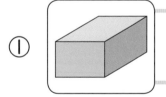

②

③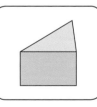

 よく がんばったね。この ちょうし！

こたえ ▶ 96ページ

月　　日　10ぷん
とくてん

てん

1 ①，②，③の　かたちは，あの　いろいたを　なんまい
つかうと　つくれますか。

1つ7てん【21てん】

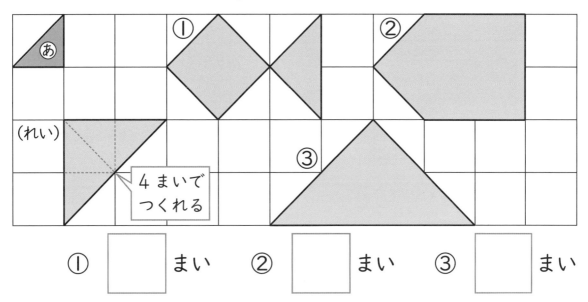

① □ まい　　② □ まい　　③ □ まい

2 ①，②，③の　ぼうを，それぞれ　ぜんぶ　つかって　つく
った　かたちは，あ，い，う，えの　どれですか。　1つ7てん【21てん】

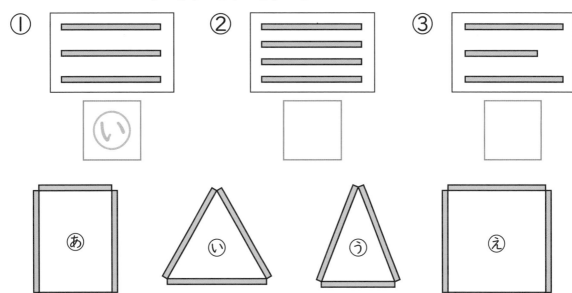

3 ①から ⑤の かたちは，あの いろいたを なんまい つかうと つくれますか。

1つ8てん【40てん】

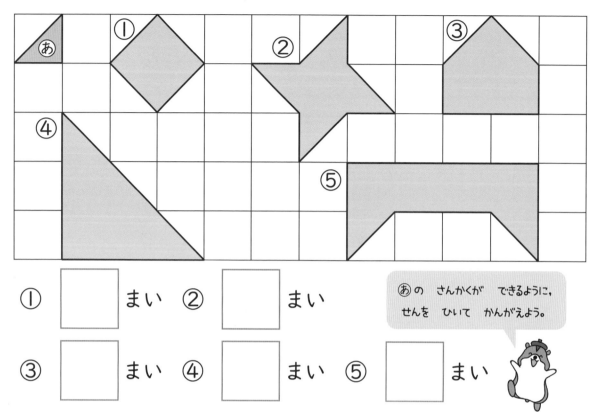

① ☐ まい　② ☐ まい

③ ☐ まい　④ ☐ まい　⑤ ☐ まい

あの さんかくが できるように，せんを ひいて かんがえよう。

4 ①，②の ぼうを，それぞれ ぜんぶ つかって つくった かたちは，あ，い，う，えの どれですか。

1つ9てん【18てん】

①

②

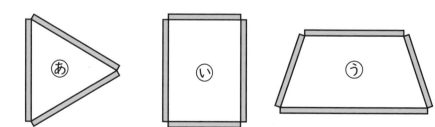

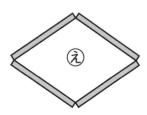

あ　い　う　え

つぎは パズルで，さいごは まとめテストだよ！

こたえ ▶ 96ページ

［じゅんばんを　かんがえて］

① あそんで　いる　ところを　しゃしんに　とったけど，
じゅんばんが　わからなく　なって　しまいました。
とけいを　みて　ならべかえ，あ，い，…で　こたえてね。

こたえ

81

2 いえの　なかで　とった　しゃしんも　じゅんばんが
わからなく　なって　しまいました。
　とけいと　えを　みて　ならべかえ，ㅤあ，ㅤい，…で
こたえてね。

こたえ　➡　　➡　　➡　　➡　　➡

こたえ ▶ 96ページ

40 まとめテスト

1 かずを　すうじで　かきましょう。　1つ6てん【12てん】

①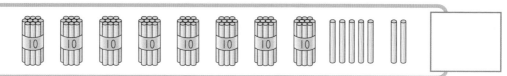

②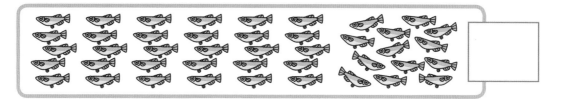

2 □に　かずを　かきましょう。　1つ6てん【12てん】

① 10が　6こと　1が　8こで　□

② 10が　10こで　□

3 □に　かずを　かきましょう。　1つ6てん【18てん】

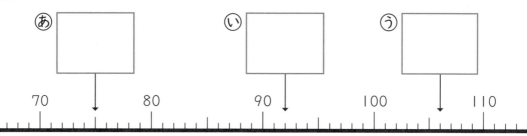

あ　□　　い　□　　う　□

70　　80　　90　　100　　110

4 かずの　おおきい　ほうを　○で　かこみましょう。

1つ6てん【18てん】

① 12　20　　② 65　56　　③ 94　97

5 みぎのように，ますめに あわせて ひもを おき，ⓐと ⓘの かたちを つくりました。1つ6てん【12てん】

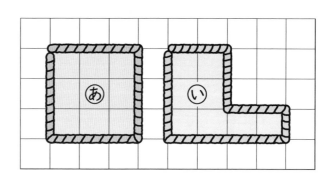

① ⓐと ⓘの ひもは，どちらが ながいですか。

② ⓐと ⓘの かたちは，どちらが ひろいですか。

6 はいる みずは，ⓐ，ⓘの どちらが おおいですか。【7てん】

ⓐ 　ⓘ

7 なんじですか。または，なんじなんぷんですか。1つ7てん【21てん】

①

②

③

こたえ ▶ 96ページ

こたえ と アドバイス

おうちの方へ

▶まちがえた問題は，何度も練習させましょう。

▶ **アドバイス** も参考に，お子さまに指導してあげてください。

1 1から 5までの かず　5~6ページ

1 ①3　②1　③2
　④5　⑤4

2 ①2　②4　③1
　④3　⑤5

3 ①1　②3
　③2　④4
　⑤5

4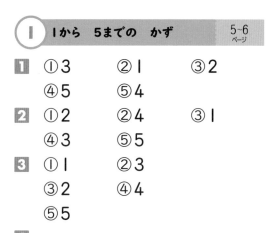

アドバイス　1から5までの数を数えて数字で表す学習です。数字は，筆順に注意してていねいに書かせましょう。

2 6から 10までの かず　7~8ページ

1 ①7　②9　③6
　④8　⑤10

2 ①9　②7
　③10　④8

3 ①6　②8
　③7　④9
　⑤10

4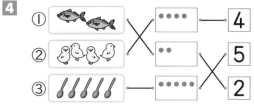

アドバイス　6から10までの数を数えて数字で表す学習です。7，8，9の数字を書くときは，筆順や書き出す方向に注意させましょう。また，数えまちがいが多いようであれば，印をつけながら数えさせるとよいです。

3 いくつかな　9~10ページ

1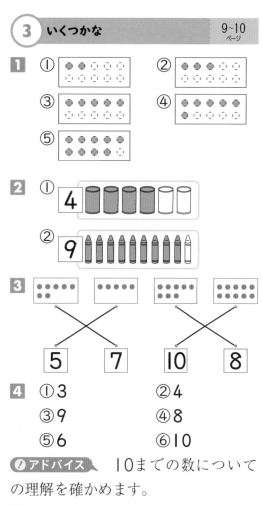

2 ①4　②9

3

4 ①3　②4
　③9　④8
　⑤6　⑥10

アドバイス　10までの数についての理解を確かめます。

1 どの丸をぬっても，数が正しければ正解ですが，これまでの●の図（数図）と同じように，左上から順にぬるとよいです。

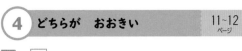

④ どちらが おおきい　11〜12ページ

1 □
　　○

2 ①□ ○　　　②○ □
　　③○ □　　　④□ ○

3 ①□ ○　　　②□ ○

4 ①5に○　　　②8に○
　　③7に○　　　④9に○
　　⑤9に○　　　⑥10に○

📝**アドバイス**　数の多少や，数字をもとにして大小を比べる学習です。まず，**1**のように，1対1で対応させたとき，あまるほうが多いと考えられることが大切です。

4　数字で大小を比べることが難しい場合は，おはじきなどを使って比べさせるとよいです。

⑤ かずの ならびかた　13〜14ページ

1 1, 2, 3, 4, 5
　　6, 7, 8, 9, 10

2 1, 2, 3, 4, 5
　　6, 7, 8, 9, 10

3 10, 9, 8, 7, 6
　　　5, 4, 3, 2, 1

4 ①5　　　　②9
　　③6, 4, 3

📝**アドバイス**　数の並び方の学習です。**1**は1ずつ大きくなっていること，**3**は1ずつ小さくなっていることを確かめさせてから，順に数字を書かせましょう。

4　③は1ずつ小さくなる並び方です。注意させましょう。

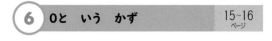

⑥ 0と いう かず　15〜16ページ

1 ①3　　②1　　③0

2 0 0 0 0 0

3 ①2, 1, 0
　　②3, 0, 2

4 ①2, 1, 0
　　②4, 2, 0

5 ①2, 0, 1, 3
　　②5, 2, 0, 4

📝**アドバイス**　数が1つもないことを0と表すことを理解します。0も数の仲間であることをとらえさせましょう。

⑦ なんばんめかな　17〜18ページ

1 ①3　　②4　　③5

2 ①2　　②すずめ

3 ①

　②

4 ①

　②

　③

📝**アドバイス**　「何番目」という順序数の学習です。「1，2，3，…」と数えた数が，そのまま順番を表す数（順序数）になることを理解させましょう。

3，**4**　「前から3匹」のような，ものの数を表す集合数と，「前から3匹目」のような，順序数とのちがいに気づかせます。どちらから数えるのかにも注意させましょう。

8 ばしょを　あらわそう　19~20ページ

1 ①2，2　　②3，2

2 ①1，2　　②3，2

③ ⚽ 📏 🧢 ✂️

❗アドバイス　ものの位置の表し方の学習です。縦にも横にも並んでいるものの位置は，上下（前後）や左右の言葉を組み合わせて用いれば，正確に表せることを理解します。日常生活でも積極的に使い，慣れさせるとよいです。

9 5，6は　いくつと　いくつ　21~22ページ

1 ①4　　②3
　　③2　　④1

2 ①5
　　②4　　③3
　　④2　　⑤1

3

| 2 | 3 | | 1 | 4 |
| 3 | 4 | | 2 | 5 |

4 ①4　②2
　　③1　④4　⑤6

❗アドバイス　5，6の数の構成（いくつといくつ）の学習です。例えば5の場合，「5は1と4」という数の分解の見方と，「1と4で5」という数の合成の見方があります。この両方の見方で数をとらえられるようになることが大切です。ここから13回までは，数の構成の学習です。それぞれの数についても同様に，両方の見方でとらえられるようにしましょう。

3　「6は2といくつ」と分解の見方と，「2といくつで6」と合成の見方があります。どちらで考えてもかまいません。

4　この表し方にも慣れさせましょう。言葉で表現すると，それぞれ次のようになります。
　①「5は1といくつ」
　②「5はいくつと3」または，「5は3といくつ」
　⑤「3と3でいくつ」

10 7は　いくつと　いくつ　23~24ページ

1 ①6　　②5
　　③4　　④3
　　⑤2　　⑥1

2

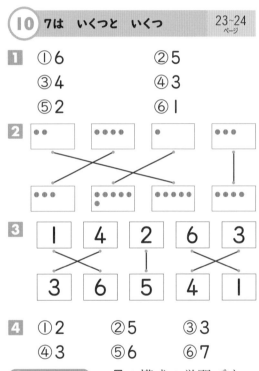

3

| 1 | 4 | 2 | 6 | 3 |
| 3 | 6 | 5 | 4 | 1 |

4 ①2　　②5　　③3
　　④3　　⑤6　　⑥7

❗アドバイス　7の構成の学習です。

1　7の構成について，順にすべての場合を扱っています。7は「1と6」，「2と5」，「3と4」，…のように順に見て，左の数が1増えると右の数は1減るという関係や，7は「2と5」，「5と2」のように，同じ2つの数の組み合わせがあることにも目を向けさせるとよいです。

1 ①7 ②6
　③5 ④4
　⑤3 ⑥2
　⑦1

2
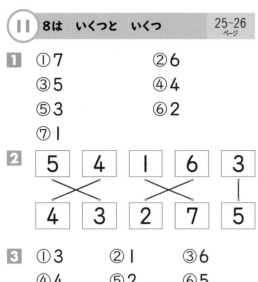

5	4	1	6	3
4	3	2	7	5

3 ①3 ②1 ③6
　④4 ⑤2 ⑥5
　⑦1 ⑧5 ⑨8

4 ①1 ②6

アドバイス　8の構成の学習です。
3 数が大きくなると、まちがいが多くなります。おはじきなどを使って確認させるとよいです。
4 見えているおはじきの数を答えてしまうことがあります。問題の意味をよく理解させてください。

1 ①8 ②7
　③6 ④5
　⑤4 ⑥3
　⑦2 ⑧1

2

4	1	7	5	6
8	2	5	3	4

3 ①1 ②4 ③2
　④6 ⑤3 ⑥5
　⑦1 ⑧2 ⑨9

4 ①3 ②7

アドバイス　9の構成の学習です。
　数の構成の学習では、分解や合成を考えながら、それぞれの数を数図（●を使った図）やブロックなどでイメージできるようになることが何より大切です。3でも、9という数をイメージして、分解や合成ができることが理想ですが、難しいようであれば、27ページの1の図を見て考えさせ、おはじきを使って確かめさせるとよいでしょう。

1 ①9 ②8 ③7
　④6 ⑤5 ⑥4
　⑦3 ⑧2 ⑨1

2 ①5 ②3
　③6 ④2 ⑤9
　⑥3 ⑦6 ⑧2

3 ①1 ②3 ③8

アドバイス　10の構成の学習です。
　数の構成の中でも、10の構成は特に重要です。10になると次の位へくり上がる十進法の理解の基礎になるだけでなく、1年生後半に学習する、くり上がりのあるたし算やくり下がりのあるひき算の計算の仕方を考えるときに必要となります。10になる2つの数の組み合わせは、全部で9通りあります。そのすべての場合について、合成と分解の両面から反射的に答えられるようにしておくことが大切です。まずは、お子さまに自分なりの10のイメージを持たせることを心がけてください。

かずしらべ

1 ①6 ②うさぎ
③ねこ ④くま

2 ①

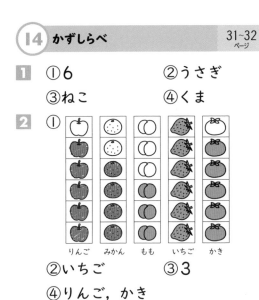

りんご　みかん　もも　いちご　かき

②いちご ③3
④りんご，かき

アドバイス ものの数を種類ごとに絵などに表したり，それを読み取ったりして，表やグラフに表すときの素地となる学習です。絵の大きさをそろえて表せば，高さによって「多い，少ない」がわかりやすくなることに気づかせましょう。

2 果物の数を絵に表す作業も重視してください。落ちや重なりがないように，それぞれの果物に印をつけながら数えることや，色をぬる数だけ印をつけてから色をぬることなど，数を調べるときの工夫についても考えさせましょう。

15 **20までの　かず**

1 ①12 ②14 ③15
④16 ⑤17
⑥18 ⑦19 ⑧20
2 ①13 ②18
3 ①14 ②17
③15 ④19
4 ①16 ②20

アドバイス 11から20までの数を数えて，数字で表す学習です。20までの数を，「10といくつで10いくつ」ととらえることが大切です。

4 2とびや5とびで数えることは，経験のちがいによって個人差がありますが，しっかり数えられることが大切です。①の場合，10まで数えたあと，「12，14，16」と数える方法と，再び「2，4，6」と数え，「10と6で16」と数える方法がありますが，どちらでもかまいません。

16 **10と　いくつ**

1 ①15
②17 ③12
④18 ⑤20
2 ①9
②6 ③1
④10 ⑤10
3 ①12 ②14
③18 ④11
⑤13 ⑥19
⑦16 ⑧15
4 ①4 ②7
③2 ④8
⑤9 ⑥10
⑦10 ⑧10

アドバイス 20までの数を「10といくつ」ととらえる学習です。

「10と7で107」，「13は1と3」のようにまちがえる場合があります。「10いくつ」は10の1と端数の2つの数字で表すこと，13の1は10であることをよく理解させましょう。

⑰ いくつ おおきい, いくつ ちいさい 37~38ページ

1 12

2 ①13　　②17　　③13

3 かえる…14　ばった…19

4 ①12　　②15　　③19
　　④12　　⑤15

💡**アドバイス**　数の線（数直線）について はじめての学習です。次のような 仕組みや見方を理解することがポイントになります。

①まっすぐな線に, 同じ長さのところ に目盛りをつけ, 数の並び方を表している。

②0からはじまり, 右へ行くほど数が 大きくなり, 右へ1目盛り進むと数 は1大きくなる。また, 左へ行くほ ど数は小さくなり, 左へ1目盛り進 むと数は1小さくなる。

⑱ かずの ならびかた 39~40ページ

1 3, 6, 9, 11, 12, 15, 16, 19

2 ①12　　　　②17,14,13

3 13, 15, 17, 20

4 ①18, 19　　②14, 12
　　③14, 16

5 11, 16, 18

6 ①13　　　　②11

💡**アドバイス**　20までの数の順序の 学習です。

2, 4　このような問題では, まずい くつずつ大きく（小さく）なってい るのか, 示されている連続する2つ の数から考えさせましょう。

6　10より大きい数のときも, 「13 番目」のように順序数が使えること を理解させましょう。

⑲ どちらが おおきい 41~42ページ

1 ①□ ◯　　　②◯ □

2 ①11　　　　②18

3 ①◯ □　　　②◯ □

4 ①13に◯　　②16に◯
　　③19に◯　　④20に◯

💡**アドバイス**　20までの数の大小を 比べる学習です。10いくつどうして 比べるときは, **1**からわかるように, ばらの数（端数）で比べられることに 気づかせましょう。

⑳ さんすう パズル 43~44ページ

❶　ごりら

❷　7（ひき）

1 ①46　②70　③57
2 ①45　②50
3 ①43　②89　③55
4 68

⚠️アドバイス　100までの数を数え
て，数字で表す学習です。「10が何個
で何十，何十と何で何十何」というと
らえ方で数を数えさせましょう。

3　③は，「5，10，15，…」と5
とびで数えても，10個ずつ○で囲
むなどして，10のまとまりを作っ
て数えても，どちらでもよいです。

1　①3　②6
2　①6，5　②4，7
3　①52　②73　③98
4　①2，4　②7，3
　　③8，9　④9，0
5　①41　②86
　　③95　④70

⚠️アドバイス　十の位，一の位の意味
を理解し，これらの言葉を使って100
までの数を表す学習です。例えば36は
漢字では「三十六」と表します。この
位を表す言葉の「十」の代わりに10の
まとまりの数を書く位置を決め，位を
表す言葉を使わずに「36」と表す方法
を「十進位取り記数法」といいます。
ここは，その素地となる学習になります。
位の用語は，お子さまにとっては理解
しにくいものですが，まずは書く位置
を理解させることが大切です。

1　①35　②40
　　③4　④5
2　①47　②70
　　③5，4　④9
3　①63　②87
　　③30　④7，9
　　⑤6
4　①1　②10

⚠️アドバイス　100までの数を，「10
が何個と1が何個」ととらえる学習です。
1の①のように合成的にとらえたり，
③のように分解的にとらえたりできる
ことが大切です。

4　100という数について理解します。
「10が10個で100」と見ることが
基本ですが，①や②のような見方で
100をとらえることも大切です。

1　①5，15，25，35，45，55，65
　　②70から79を□で囲む。
2　①38　　②64
　　③78，80，83
　　④60，90，100
　　⑤93，89，88
3　①76，84，92
　　②43，58，72

⚠️アドバイス　100までの数の系列
の学習です。

1　縦に並ぶ数は一の位が同じ数，横
に並ぶ数は十の位が同じ数になって
いることに気づかせましょう。他に
も気づいたことを聞いてみましょう。

㉕ いくつ おおきい，いくつ ちいさい 53~54ページ

1　①23　②48　③27
2　①62　②86　③70
3　①61　②79
　　③75　④89
4　①38　②34
　　③50　④28

✐アドバイス　数の線（数直線）を見て，「○より△大きい数（小さい数）」を考えながら，数の線の理解を深めます。

例えば1の①では，20の目盛りから右へ３目盛り進んだところの数を読み，③では，30の目盛りから左へ３目盛り進んだところの数を読みます。このようにして，基準の数との大小，方向，順序などを理解させましょう。また，③のように十の位の数字が変わるものは，数字の変わり方にも目を向けさせましょう。

㉖ どちらが おおきい 55~56ページ

1　①○　□　　②□　○
2　①42に○　②73に○
　　③60に○　④88に○
3　①50に○　②79に○
　　③55に○　④91に○
　　⑤100に○　⑥64に○
4　①90，80，60
　　②89，87，78

✐アドバイス　100までの数の大小を比べる学習です。

1　①の46と38では，10のまとまりの数（十の位）を見れば，46のほうが多いとわかります。②の32

と34では，10のまとまりの数（十の位）は同じなので，ばらの数（一の位）を見て，34のほうが多いとわかります。2以降の数字どうしの大小を比べる場合も同様に，十の位から順に比べていけばよいことを理解させてください。

4　まちがえた場合は，右のように位をそろえて縦に書かせ，十の位から順に比べさせてみましょう。縦に並べて書くと，位どうしで比べやすくなります。

| 87 |
| 78 |
| 89 |

㉗ 100より おおきい かず① 57~58ページ

1　①113　②106　③115
2
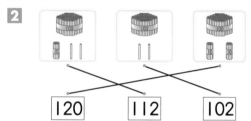

　120　　112　　102

3　103，110を○で囲む。
4　①101　②114
5　①107　②119　③123

✐アドバイス　120くらいまでの数を数えて，それを数字で表す学習です。「100と13で113」のように，100とすでに学習した1けたや2けたの数を合わせた数という見方で，読み方と数字の表し方を理解させましょう。

4　10の束が10個で100になることを確認させ，「100とあといくつ」と考えさせましょう。

5　②は，「100と19で119」，③は，「100と23で123」と考えさせましょう。

28 100より おおきい かず② 59~60 ページ

1 101, 105, 111, 115

2 [95](れい)　[104]　[111]　[116]

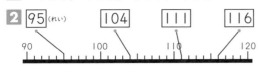

3 98, 108, 116

4 ①102, 103　②110, 112
　　③119, 121

5 ①106　　　　②117

6 ①112に○　　②120に○

⚠アドバイス　120くらいまでの数の系列と大小の学習です。100より大きい数も，100を除けば，これまでの1けたや2けたの数と同じ仕組みになっていることを理解することがポイントです。

4　どれも1ずつ大きくなっていることを確認させてから，□にあてはまる数を考えさせましょう。

29 ながさくらべ① 61~62 ページ

1 ①□　　②○　　③□
　　　○　　　□　　　○

2 たて

3 たて

4 ①○　　　　　②□
　　　□　　　　　○

5 ①③　　　②①

⚠アドバイス　長さの比べ方の学習です。ここでは，直接比べる方法と，テープなどを利用して間接的に比べる方法を理解します。

1　端をそろえて直接比べる方法です。
　　長さというときは，形や大きさ，太

さ，色などは関係ないこともおさえさせましょう。

2　紙の縦と横の長さは，折って直接比べられることを理解させましょう。

3　絵本の縦と横のように，折って直接比べられないものは，テープなどに長さを写し取って，間接的に比べられることに気づかせましょう。

4　直接比べる方法の応用です。①はきちんと水平にそろえれば上のほうが長いと，②は下のテープをまっすぐにのばせば，下のテープのほうが長いと考えられることが大切です。ものの長さとは，まっすぐに伸ばした状態のときをいうことを理解させましょう。

5　テープに長さを写し取って比べる方法です。「深さ，高さ，幅」の言葉の意味を確認し，どれも「長さ」であることに気づかせましょう。

30 ながさくらべ② 63~64 ページ

1 ①たて…3，よこ…6
　　②よこ

2 あに○

3 あに○

4 ①6　　②い　　③い，3

⚠アドバイス　長さの比べ方の学習です。ここでは，ある決まった長さをもとにして，そのいくつ分あるか，長さを数に表して比べる方法を理解します。

　2は車両の数，**3**はクリップの数で比べられます。また，長さを数で表せば，**4**の③のように「どれだけ長いか」も表せることに気づかせましょう。

1 ⓘに○

2 ⓐに○

3 ①ⓘを○で囲む。②ⓘを○で囲む。

4 ①ⓐ…5, ⓘ…6

②ⓘ

5 ⓘ, ⓤ, ⓐ

⚟アドバイス 水などのかさ（体積）の比べ方の学習です。長さ比べと同様に、比べ方を理解して、どちらが多いか判断できることが大切です。

1 ⓘに水をいっぱいに入れ、それをⓐに移して、あふれるかどうかで直接比べる方法です。水はあふれているので、ⓘのほうに水が多く入ると考えられることが大切です。もし水があふれずにいっぱいにならなければ、ⓐのほうが水が多く入るといえることも確かめてください。

2 どちらの入れ物にも水をいっぱいに入れ、同じ大きさのコップに移して間接的に比べる方法です。水の高さが高いほうが水が多く入ると考えられることが大切です。

3 **2**の応用です。①は、同じ大きさのコップなので、水の高さからⓘのほうが多いと考えられます。②は、水の高さは同じですが、ⓘのほうが大きいので、水はⓘのほうが多いと考えられることが大切です。

4, 5 同じ大きさのコップをもとに、入っていた水がコップ何ばい分あるか、かさを数として表して比べる方法です。よく理解させましょう。

1 ⓐに○

2 ①ゆきさん…12

えいたさん…13

②えいた, 1

3 ⓤ, ⓐ, ⓘ

4 ①ⓐ…8, ⓘ…9, ⓤ…7

②ⓘ   ③2

⚟アドバイス 広さ（面積）の比べ方の学習です。

1, 3 端をそろえて重ね、直接比べる方法です。はみ出しているほうが広いと考えられることが大切です。

2, 4 方眼のますをもとに、その何個分あるか、広さを数として表して比べる方法です。数として表すことのよさにも気づかせましょう。

1 ①2じ

②9じ   ③5じ   ④11じ

2 ⓘに○

3 ①1じ   ②8じ   ③6じ

④10じ   ⑤7じ   ⑥12じ

4 ①   ②   ③

⚟アドバイス 「何時」の時計の読み方の学習です。長針が12を指しているとき、短針の指している数字で「何時」と読むことをよく理解させましょう。

4 どの数字を指しているのかはっきりわかるようにかかせましょう。

34 なんじはんかな 71~72ページ

1
① 2 じはん ② 4 じはん
③ 6 じはん ④ 10 じはん

2 ⑤に○

3
① 3 じはん ② 7 じはん
③ 1 じはん ④ 9 じはん
⑤ 5 じはん ⑥ 11 じはん

4

① ② ③

（！アドバイス） 「何時半」の時計の読み方の学習です。「何時」を読むより難しくなります。実際に時計を用意し，針を動かしながら理解させるとよいです。例えば**1**の①であれば，まず2時から3時まで動かしてみせます。また2時に戻し，今度は2時半まで動かして，短針と長針の位置を確かめさせます。このとき，3時前なので「2時半」と読むことを理解させましょう。

35 なんじなんぷん① 73~74ページ

1
① 8 じ 15 ふん ② 3 じ 30 ぷん
③ 7 じ 10 ぷん ④ 4 じ 35 ふん
⑤ 9 じ 20 ぷん

2

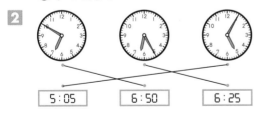

5:05 6:50 6:25

3
① 8 じ 5 ふん ② 10 じ 10 ぷん
③ 1 じ 45 ふん ④ 2 じ 30 ぷん
⑤ 4 じ 40 ぷん ⑥ 7 じ 55 ふん

（！アドバイス） 5分刻みの時計の読み方の学習です。小さい1目盛りは1分を表し，数字のある目盛りは，5分，10分，15分，…と5とびの数になることを理解させましょう。慣れるまでは，用意した時計で「分」を読むことだけに限定して読み取らせ，小さい目盛りの数で決まることをつかませましょう。

2 デジタル時計も扱っています。どちらの時計も読めるようにしておくことが大切です。

3 ④は，「2じはん」でも正解です。

36 なんじなんぷん② 75~76ページ

1
① 8 じ 18 ふん ② 1 じ 41 ぷん
③ 6 じ 3 ぷん ④ 9 じ 22 ふん
⑤ 2 じ 31 ぷん ⑥ 10 じ 47 ふん

2 ⑤に○

3
① 7 じ 6 ぷん ② 3 じ 37 ふん
③ 9 じ 12 ふん ④ 11 じ 28 ふん
⑤ 1 じ 52 ふん ⑥ 4 じ 59 ふん

（！アドバイス） 1分刻みの時計の読み方の学習です。数字のある5分刻みの目盛りをもとにして，その何分後か，1分ずつ加えていくようにして読ませましょう。

2 あは，短針が7に近くなっていることから，これを「7時58分」とまちがえる場合があります。実際に時計を動かし，もうすぐ7時になることを確かめさせて，これは「6時58分」であることを確認させましょう。

3 **2**と同様に，⑥を「5時59分」とまちがえていないか，よく確かめてください。

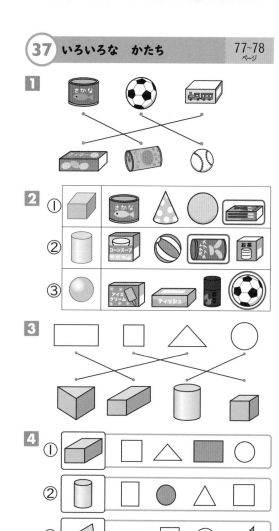

37 いろいろな かたち 77~78ページ

38 かたちづくり 79~80ページ

1 ①6 ②10 ③8

2 ①⓪ ②え ③う

3 ①4 ②6
　　③6 ④9 ⑤10

4 ①え ②い

⚠アドバイス　立体図形の特徴をつかみ，仲間分けを考える学習です。面の様子（平面か曲面か）や面の形，転がりやすいといった機能的な面など，自分なりにとらえた観点で仲間分けできることが大切です。

⚠アドバイス　三角形や棒を使って形のつくりを考える学習です。三角形や四角形の特徴をつかみ，棒（辺）の数や長さなどに目を向けて考えさせましょう。

1, **3**　形の中にあの三角形ができるように線をひかせ，数えさせるとよいです。

2, **4**　棒を3本使うと三角形が，4本使うと四角形ができることも理解させましょう。

39 さんすう パズル 81~82ページ

1　あ→う→え→お→か→い

　　3時から，15分ずつ時計の進む順に並べればわかります。

2　い→あ→お→う→え→か

　　1時から3時半まで進む時計や，ケーキの有無，ジュースの減り方から考えればわかります。

40 まとめテスト 83~84ページ

1 ①87 ②43

2 ①68 ②100

3 あ75 い92 う106

4 ①20に○ ②65に○
　　③97に○

5 ①い ②あ

6 あ

7 ①8じ ②6じ15ふん
　　③9じ58ふん

⚠アドバイス

5　方眼のますのいくつ分の長さか，いくつ分の広さか，それぞれ数を数えて比べさせましょう。

96